Cómo preparar
un Buen Currículum

Si está interesado en recibir información sobre nuestras publicaciones, envíe su tarjeta de visita a:

Ediciones Gestión 2000, S.A.
Departamento de promoción
Comte Borrell, 241
08029 Barcelona
Tel. (93) 410 67 67
Fax (93) 410 96 45

Y la recibirá sin compromiso alguno por su parte.

Cómo preparar un Buen Currículum

Pol Santandreu

 EDICIONES GESTIÓN 2000, S.A.

© Ediciones Gestión 2000, S.A.
Primera edición: Noviembre 1996
ISBN: 84-8088-150-X
Depósito legal: B. 38.877 - 1996
Diseño cubierta: Manuel Couto / Así Disseny Visual
Fotocomposición: gama, sl.
Impreso por Romanyà-Valls, S.A.

Impreso en España - *Printed in Spain*

Índice

Introducción

En la sociedad competitiva en que vivimos destaca la gran dificultad que entraña, en un notable número de casos, la búsqueda y el acceso a un puesto de trabajo.

El interés de las empresas por seleccionar al mejor candidato para ocupar el puesto de trabajo vacante, unido a la cada vez más alta formación de los aspirantes a cualquier puesto, dificultan en gran medida las posibilidades de elección de cada uno de ellos.

Esta situación condiciona que, en ocasiones, muchos candidatos deban conformarse con asumir tareas que no son, o ellos no consideran, acordes a sus conocimientos, formación o experiencia.

En muchas ocasiones el problema estriba en que los candidatos no saben presentarse a sí mismos, no son capaces de comunicar cómo son y a qué aspiran. En definitiva, no saben «venderse».

En la mayoría de los casos, la primera información que una empresa posee de un candidato a un puesto de trabajo es el currículum vitae. El currículum vitae consiste en un escrito donde se especifica lo que se es y lo que se sabe hacer. Este escrito será el que abra o cierre las puertas a una futura contratación laboral.

Es obvio, pues, que este instrumento debe reunir unas condiciones y características técnicas lo mejor estructuradas posible, ya que de ello depende el éxito de lo que se pretende: conseguir un puesto de trabajo o desempeñar una mayor responsabilidad.

El hecho de redactar un buen currículum vitae, en el que se sepa transmitir con sencillez y eficazmente todos aquellos aspectos que sirvan para resaltar las excelencias del aspirante, constituye un elemento diferencial que contribuirá a abrir un camino o mejorar el que se ha tomado.

Así pues, acertar en un modelo de currículum vitae es condición indispensable para incrementar las posibilidades de acceso a una ocupación laboral determinada.

Este libro sólo tiene la pretensión de especificar aquellos aspectos que faciliten la estructuración, redacción, esquematización y mejor comunicación del currículum vitae, para cualquier persona que desee someter su candidatura a una selección, la cual será, con toda seguridad, esmerada y ardua, y con mucha frecuencia supondrá una pugna con gran número de candidatos.

1
El contacto con la empresa

Cualquier persona que desee contactar con una empresa con la aspiración de una oportunidad laboral en la misma, debe proceder a la confección de un currículum vitae, entendiendo éste como su tarjeta de presentación.

El currículum es de uso habitual cuando se desea presentar una candidatura, bien se trate del primer empleo, o bien cuando, poseyendo una experiencia laboral previa, se persigue un trabajo con mayor responsabilidad, más perspectivas de futuro, mejoras económicas o, simplemente, un cambio geográfico.

En los siguientes capítulos se analizan las distintas situaciones con las que se puede encontrar una persona que busca empleo. Asimismo, se presentan unas bases y principios para redactar correctamente un currículum vitae.

1.1. Diferentes formas de contacto aspirante-empresas

Uno de los aspectos más destacables es el que hace referencia a los canales que pueden utilizar las partes interesadas a fin de entrar en contacto entre sí.

Estos conductos pueden ser de índole variada.

No obstante, es preciso señalar como más habituales:

- El contacto directo del interesado, por iniciativa propia, hacia la empresa en la que desea trabajar.
- La respuesta del candidato a los anuncios del ofertante que aparecen en los distintos medios de comunicación.
- El acceso directo del aspirante a una empresa de selección, ofreciendo sus servicios.

A continuación estudiaremos estos tres canales como los más habituales, pero sin olvidar otros, tales como el denominado «boca-oreja». Este canal consiste en que la empresa ofertante divulga entre sus propios empleados u otros contactos la necesidad de cubrir un puesto de trabajo. En estas situaciones lo más frecuente es que se produzca una entrevista directa y posteriormente la presentación de un currículum vitae.

1.2. Contacto directo

El contacto directo se da cuando el aspirante envía o presenta personalmente su currículum vitae a la empresa en la que le interesa trabajar, pero desconoce la oportunidad del momento, es decir, el interés de la empresa por contratar nuevo personal. Un ejemplo podría ser el caso de una persona que envía una solicitud de empleo a una empresa química de la que desearía formar parte como investigador, y presenta un currículum al departamento de recursos humanos ofreciendo sus servicios, sin que la empresa haya mostrado ningún interés manifiesto en ampliar su plantilla.

Generalmente, en estas circunstancias el departamento de recursos humanos de la empresa receptora analizará el currículum y, aunque no necesite personal inmediatamente, lo archivará para utilizarlo en una posible futura selección.

El solicitante, en este caso, está motivado prioritariamente por la búsqueda de una nueva oportunidad laboral a largo plazo, ya que sería muy casual que en el momento de recepción del currículum la empresa estuviera interesada en iniciar una selección para cubrir un puesto de trabajo similar al solicitado.

La persona que decida enviar solicitudes de empleo por iniciativa propia debe poseer un mínimo de conocimientos de la empresa por la que se interesa, como por ejemplo:

- la actividad de la misma;
- la existencia de puestos de trabajo similares al solicitado;
- la frecuencia con que la empresa acude al mercado de oferta de trabajo;
- si la empresa está ampliando sus instalaciones;
- si se han producido cambios importantes en la organización que hagan presumir la ampliación de la plantilla.

Obviamente, es inútil enviar un currículum a una empresa solicitando un empleo de investigador químico si en la misma no existe ningún departamento de investigación.

Asimismo, si se busca un empleo determinado y se opta por este sistema de acceso, es conveniente el envío de un currículum a todas aquellas empresas que dispongan de departamentos y puestos de trabajo acordes con el nivel de formación ofrecido, ya que de esta forma se incrementan las probabilidades de éxito.

En estos casos es preferible enviar el currículum con una carta de presentación, breve y concisa, al Departamento de Personal o Recursos Humanos de la empresa, ya sea por correo o personalmente.

A continuación se ofrece un ejemplo de una carta de presentación.

Señores:

Les envío mi currículum vitae con mis datos personales y mi experiencia profesional, por si pudiera ser de su interés, en el caso de que precisen cubrir alguna plaza en el Departamento de Investigación Biológica.

Esperando que evalúen mi demanda, quedo a su disposición para cualquier aclaración.

Reciban un cordial saludo.

Nombre

En el capítulo 5 se comenta con mayor detalle la forma de redactar las cartas de presentación en cada caso.

1.3. Respuesta a anuncios

Ésta es la forma más usual de ponerse en contacto con una empresa. Cuando una empresa publica un anuncio en algún medio de comunicación, como periódicos, diarios o revistas, da a conocer una demanda en la que se detallan y delimitan aquellos puntos más destacables, así como las exigencias mínimas para ocupar el puesto de trabajo ofertado.

En estos casos lo más frecuente es que la empresa interesada proceda en primer lugar a la preselección de los currículums recibidos durante un tiempo prudencial. Las solicitudes preseleccionadas serán aquellas que, aparte de estar redactadas correctamente, se adecuen mejor a las exigencias de la empresa. Por tanto, el solicitante debe reunir todos los requisitos especificados para presentar su candidatura.

La bondad de este sistema radica en que las empresas oferentes suelen recibir muchas candidaturas que reúnen los requisitos exigidos. A la vista de dichas solicitudes, y previa la preselección aludida, pueden elegir la mejor, y cubrir la vacante con aquella persona que reúna las condiciones óptimas.

A su vez, la ventaja para los aspirantes radica en la oportunidad de remitir un currículum en respuesta a una oferta laboral publicada. Es decir, a una posibilidad laboral cierta y de la cual, además, se conocen de antemano las características y exigencias más destacables.

El currículum vitae debe remitirse siempre a la dirección especificada en el anuncio, adjuntando una carta de presentación, en la que deberá destacarse claramente la referencia indicada en la demanda.

1.4. Contacto directo con empresas de selección de personal

La actividad de las empresas de selección consiste en captar y seleccionar, en nombre de las empresas que se dirigen a ellas, a aquellos candidatos que reúnan las condiciones óptimas para la cobertura del puesto o puestos requeridos.

Estas empresas disponen de un equipo de profesionales cuya misión consiste en seleccionar a los candidatos más idóneos para ocupar un determinado puesto de trabajo.

Para una empresa de selección es tan importante disponer de clientes que soliciten sus servicios como poseer un amplio archivo al que recurrir para contactar con personas que reúnan las exigencias de un determinado puesto de trabajo.

Este archivo se alimenta generalmente de aquellas candidaturas que van recibiendo (comentado en el punto 1.2) por iniciativa directa de aspirantes, o bien por aquellas otras procedentes de preselecciones anteriores, correspondientes a puestos similares.

Cualquier aspirante a un puesto de trabajo tiene la posibilidad de establecer contacto con estas empresas, especificando el tipo de trabajo al que se aspira y detallando el nivel de formación y la experiencia laboral, así como, en su caso, experiencia profesional. Así se entrará a formar parte de la cartera de oferentes, ampliando las posibilidades de acceso a posteriores selecciones que les puedan ser solicitadas.

1.5. Resumen del capítulo

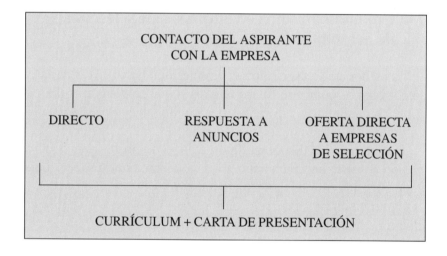

2
La empresa demandante
o anunciante

Como se ha venido comentando, las ofertas de empleo se dan a conocer mediante anuncios, a través de distintos medios de comunicación. Estos medios de comunicación pueden ser periódicos, entidades y corporaciones empresariales, servicios de la Administración, escuelas de negocio, revistas especializadas, etc.

Los anunciantes pueden ser:

a) La propia empresa interesada en cubrir un puesto o unos puestos determinados.

b) Una empresa de selección de personal a la que el interesado encomienda dicha tarea.

Uno de los rasgos de las empresas de selección es que, por las propias características de su actividad, disponen de un rápido acceso a los medios de comunicación, así como de gran capacidad de divulgación de la oferta de trabajo. Asimismo, suelen disponer de un equipo de expertos responsables de leer, analizar y seleccionar los currículums, además de una bolsa propia de demandantes, a la que ya se ha aludido, entre los cuales pueden seleccionar a un candidato.

2.1. Identificación de la empresa en los anuncios

Los anuncios que se publican en los medios de comunicación pueden identificar a la empresa interesada o no. Asimismo, en el caso de tratarse de una empresa de selección, se puede dar a conocer ésta sin identificar a la empresa demandante.

El hecho de que la empresa demandante desee mantener su anonimato puede obedecer a su interés en no dar a conocer sus intenciones a los competidores. Casos como contratación de directivos, puestos de *product manager*, pueden poner al descubierto algunas decisiones estratégicas importantes.

Por esta razón no debe extrañar que frecuentemente, en los anuncios que figuran en los medios publicitarios dirigidos al gran público, no figure el nombre de la empresa que ofrece el puesto.

En cambio, en ocasiones la empresa puede tener interés en identificarse. Por ejemplo, en el caso de que se trate de una empresa de gran prestigio, el hecho de que en el anuncio aparezca su nombre otorga mayor credibilidad, ofreciendo así a los candidatos un atractivo añadido. También es posible que a la empresa le interese demostrar a su competencia una posición aventajada, en caso de encontrarse en épocas de fuerte crecimiento o expansión.

Con independencia de lo indicado hasta aquí, en la demanda de trabajo sí suele figurar el nombre de la empresa encargada de la selección. La explicación lógica es que esta política facilita la propia publicidad para atraer a futuros clientes.

2.2. Evaluación de los currículum vitae

En primer lugar, la empresa receptora del currículum procede a la lectura de todas las solicitudes recibidas, dando inicio así a la primera parte de la selección. Por ello, debemos insistir en que un currículum debe ofrecer un óptimo nivel de presentación y calidad, ya que de ello dependerá en gran medida que el receptor del mismo preste mayor interés y en consecuencia la solicitud pueda pasar con mayor facilidad la primera fase.

Cuando alguien envía un currículum espera una respuesta de la empresa, aunque tan sólo sea de agradecimiento al interés manifestado. Pero en ocasiones esta respuesta no se produce. En el caso de ausencia de noticias, el candidato no debe desfallecer. Por el contario, debe perseverar y seguir enviando posteriores solicitudes a nuevos anuncios hasta alcanzar el objetivo fijado.

La respuesta de la empresa con frecuencia está condicionada por la primera impresión que ha causado la candidatura. Las distintas respuestas o reacciones que puede recibir el interesado podrán ser diferentes en sus formas y contenidos. A modo de ejemplo, a continuación se exponen algunas de ellas, según las decisiones que haya adoptado el seleccionador:

a) Currículum vitae que ha sido seleccionado

La empresa interesada contactará con el aspirante, generalmente a través de una llamada telefónica, con el fin de concretar la fecha en que se deberán realizar los exámenes o pruebas. En estos casos, se indica que el currículum ha cumplido su primer objetivo. A partir de ese momento, el candidato tendrá la oportunidad de defender su capacidad y valía personal.

Es frecuente, en los casos en que la selección la realiza una empresa especializada, que se proceda a concertar una cita o entrevista previa con algún psicólogo o especialista en selección. Superada ésta, y si se considera que el candidato reúne las condiciones exigidas, se concertará otra entrevista posterior con la empresa solicitante.

b) La candidatura pasa a régimen de reserva

Cuando una candidatura queda clasificada inmediatamente detrás de las preseleccionadas, no se destruye ni devuelve. Generalmente se archiva en lo que se podría denominar régimen de reserva, es decir, podrá ser utilizada posteriormente, en una segunda vuelta, en caso de que durante la primera ninguno de los precandidatos haya ocupado la plaza.

Si la plaza es cubierta por otros candidatos, el currículum tampoco se destruye. Queda archivado para posibles casos posteriores de selecciones a puestos adecuados a las características del solicitante.

c) Selección para otro puesto distinto al solicitado

Cuando el seleccionador, después de analizar una solicitud, decide que el perfil del aspirante obedece a las características de un puesto de trabajo distinto al solicitado, incluye ese currículum en la selección de otras demandas más idóneas a la oferta, o pasa a un archivo para posteriores demandas, tal como se indica en anteriores apartados.

d) Currículum no seleccionado pero interesante

Si la empresa considera que el currículum recibido no se adapta a las exigencias del puesto, pero sí a posibles futuras selecciones, también lo guardará. En estos casos, y aunque no se reciba respuesta, no se debe considerar que haya fracasado el intento, ya que en un futuro puede ser aprovechado para otra demanda.

e) Currículum no interesante

Son aquellos que no reúnen las características solicitadas por el anunciante. Se puede deber a defectos de redactado, o a otra circunstancia que hace que quede eliminado. Puesto que no es interesante para la empresa, está condenado a ir a la papelera y sólo en raras ocasiones se le da una simple hojeada.

2.3. Evaluación de los anuncios por parte del candidato

Alguien que busque un puesto de trabajo, no puede abrir el periódico en la página de ofertas de empleo y enviar un currículum vitae a todos los anuncios que aparecen. En primer lugar, lo más aconsejable es leer atentamente, evaluando cada uno de los anuncios que le parezcan interesantes según las condiciones laborales, el nivel de formación exigido, perfil requerido, etc.

Los anuncios que aparecen publicados pueden llegar a diferir mucho entre sí, presentando niveles de información muy dispares.

Un anuncio de oferta de trabajo suele indicar:

– Información sobre la empresa: La mayor parte de los anuncios indican el sector al que pertenece la empresa, actividad que ésta desempeña (aunque no se identifique su nombre), ubicación geográfica aproximada. En ocasiones, pueden figurar la cifra de facturación u otras informaciones de índole económica o comercial.

– Puesto ofrecido: Un anuncio debe indicar el puesto laboral al que se hace referencia. Generalmente se describen las tareas a desempeñar en el mismo, las responsabilidades asignadas, dependencia del cargo, así como número de personas que dependen de él, etc.

Esta parte es la más importante del anuncio y suele figurar en letras destacadas para poder identificar un puesto con sólo una simple ojeada.

– Perfil demandado: Es aquella parte donde se especifican los requisitos que debe reunir la persona que ocupará la plaza. Indica tanto el nivel de formación como los requisitos personales, disponibilidades para viajar, experiencia profesional anterior, edad, conocimiento de idiomas extranjeros, necesidad de vehículo propio, etc.

– Remuneración: En muchos anuncios se suele expresar la remuneración prevista para el puesto que se ofrece. En ocasiones el nivel de retribución es orientativo, por lo que no debe entenderse como incondicional o exclusivo. Otras veces, se expresa la totalidad de la remuneración, u otras retribuciones especiales, como comisiones complementarias. Con frecuencia los niveles que aparecen son difíciles de conseguir y muchas veces son ficticios. Otros anuncios señalan los ingresos situados en una franja de máximos y mínimos, sobre la cual se está dispuesto a negociar.

Finalmente, en ocasiones no se detalla la remuneración y aparecen frases de esta índole: «remuneración a convenir según valía». En estos casos se está indicando claramente, o bien que la empresa no tiene muy decidida la retribución, o que lo decidirá a la vista y resultados del acuerdo de contratación.
– Información referente a la candidatura: Son las condiciones bajo las que se aceptarán las candidaturas a ocupar el puesto de trabajo. Por ejemplo, aquí figura si se debe enviar el currículum manuscrito, si se debe adjuntar una fotografía reciente, etc. Asimismo figura la dirección donde remitir la documentación, o teléfono de contacto.

2.4. Elección y envío de la candidatura

Con la información obtenida a partir de la lectura de los anuncios, se debe proceder a la clasificación de los que sean verdaderamente interesantes, contemplando desde una perspectiva de honestidad propia las posibilidades reales de acceder a ellos, y valorando si se reúne todos los requisitos que se detallan. Sin duda, esta actitud incrementa las probabilidades de éxito.

El envío de la documentación para el acceso a una selección debe realizarse lo más rápido posible. Lo ideal sería entregarla personalmente, ya que así se tendrá la certeza de que ha llegado al destino deseado en un corto período de tiempo.

2.5. Resumen del capítulo

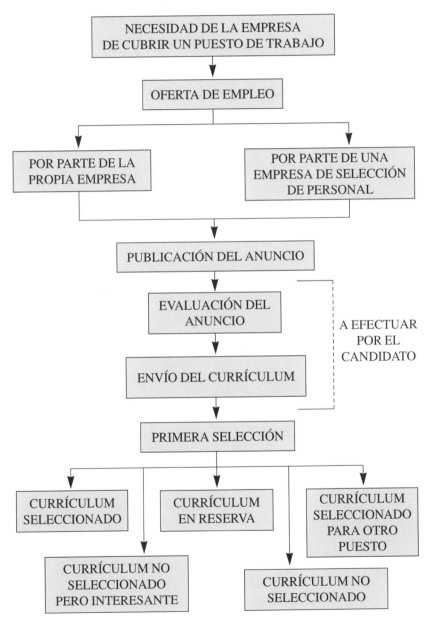

3
El currículum vitae

Como ya se ha comentado en los anteriores capítulos, un buen currículum vitae es una herramienta imprescindible para acceder a la selección de candidatos a los puestos de trabajo ofertados.

El currículum consta de tres partes claramente diferenciadas:

– La carta de presentación
– Los datos personales
– Formación, trayectoria profesional y laboral de la persona que lo redacta

En el capítulo 4 se tratan los dos últimos puntos, que hacen referencia al currículum propiamente dicho, y en el capítulo 5 se habla de la carta de presentación.

Un currículum constituye una extraordinaria fuente de datos de la persona que lo redacta y presenta. Un experto en selección de personal está capacitado para extraer muchas conclusiones con una sola lectura de él.

Aparte del historial académico y profesional, implícitamente el currículum pone de manifiesto muchos aspectos sobre los conocimientos y la personalidad de quien lo presenta. Un currículum vitae debe facilitar el análisis y comprensión de la capacidad de síntesis del candidato, la claridad del mismo para exponer hechos o situaciones, el grado de objetividad, el dominio de idiomas, la facilidad de redacción, aspiraciones laborales, etc.

3.1. Elaboración del currículum vitae

Un currículum debe reunir las siguientes características:

- Claridad
- Brevedad
- Concisión

Es decir, que al redactarlo se debe incluir todos los datos pertinentes pero de una manera clara y concisa.

3.2. Empresas que asesoran en la elaboración de currículums

En los últimos tiempos se ha desarrollado una actividad empresarial que ofrece asesoramiento y redacción de un currículum vitae a aquellas personas que lo soliciten.

Fruto de la creciente exigencia por parte de las empresas a la hora de cubrir los puestos de trabajo, el currículum vitae constituye cada vez más el primer contacto entre el candidato y la empresa demandante. Este hecho ha propiciado que expertos en selección de personal, recursos humanos, psicología y actividades afines, hayan constituido y promocionado empresas con el objetivo de ofrecer ayuda y/o confeccionar currículums con muchas posibilidades de salir seleccionados.

Estas organizaciones también se encargan, a requerimiento del interesado, de enviar los currículums a aquellas empresas a quienes puede interesar contratar a una persona de las características de su cliente.

Evidentemente, como en toda actividad empresarial, existen empresas con un alto grado de profesionalización y otras que, aprovechando la creciente demanda, ofrecen un servicio de dudosa calidad. Por esta razón, es necesario que el candidato a ocupar un puesto de trabajo se asesore e informe sobre las empresas más profesionales a las que puede acudir en caso de precisar de este servicio.

3.3. La estructura del currículum

Todo currículum debe priorizar el mensaje que se desea comunicar a un tercero, ser claro y tener bien diferenciadas las distintas partes a que se hace referencia. A continuación se ofrece un esquema de la estructuración de un currículum, a fin de explicar claramente el contenido de cada aspecto citado.

El orden de las informaciones a desarrollar es el siguiente:

- Datos personales
- Datos relativos a la formación
- Datos concernientes a la experiencia profesional y laboral
- Informaciones adicionales

Cada apartado debe incluir fechas, datos, referencias, etc., así como una breve explicación de cada uno de ellos.

La figura 1 muestra un esquema del modo de estructurar un currículum vitae. Evidentemente, no se pretende que todos los currículums sean iguales, ya que la originalidad pone de manifiesto la creatividad que posee cada candidato. Este esquema intenta ofrecer unas bases útiles, que simplifiquen la redacción de un currículum vitae, así como resaltar los aspectos que puedan facilitar ese objetivo.

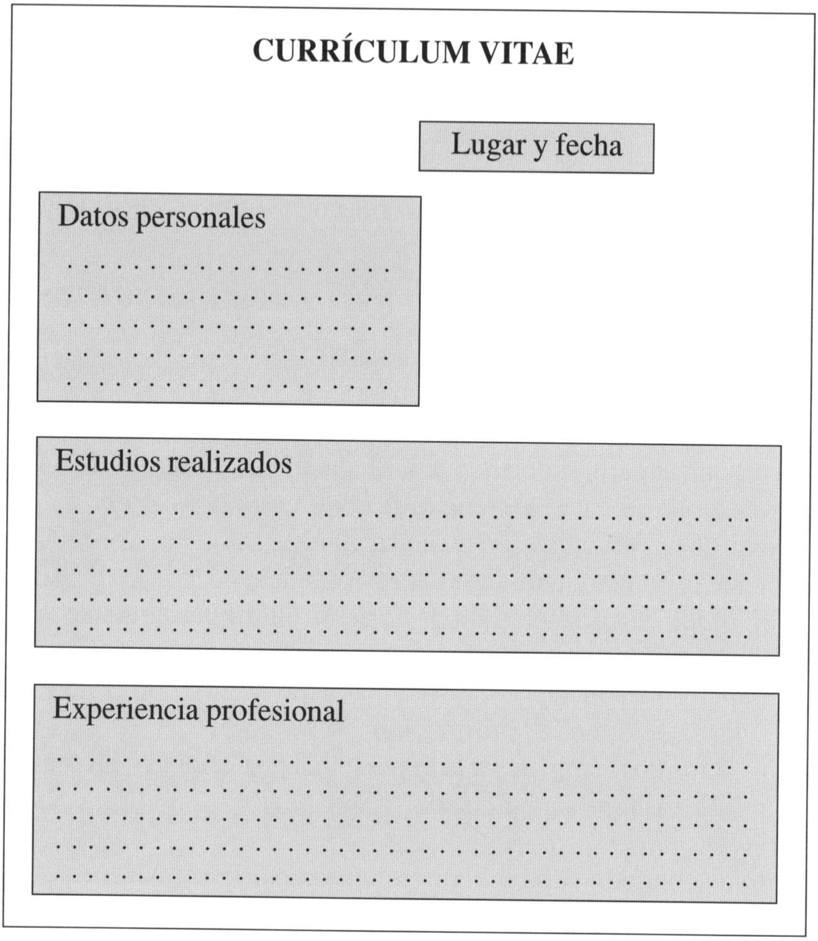

Figura 1. Esquema de la estructura de un currículum vitae.

3.4. La presentación

En primer lugar hay que destacar que todo currículum debe ser presentado con gran pulcritud, sin tachaduras ni raspaduras y exento de borrones que pudieran indicar rectificaciones. Lo más aconsejable es que se redacte en papel blanco, de buena calidad y tamaño DIN A4 o folio, y escrito sólo por una cara.

Un dilema importante que siempre surge sobre el redactado de un currículum radica en si debe ser manuscrito, se debe escribir a máquina o bien mediante un ordenador personal.

No existe una única respuesta, ya que no siempre se dispone de los medios citados. Obviamente, todo lo indicado quedará claramente definido si en el anuncio, o exigencia de selección, se indicara la forma en que se debe presentar el currículum.

A continuación pasaremos a analizar las características y detalles más destacables de cada uno de los medios de presentación y escritura utilizados en la redacción de cualquier currículum.

– Currículum manuscrito:

El currículum manuscrito suele ser menos claro y más difícil de leer para los seleccionadores, que si se trata de letra impresa en ordenador o mecanografiada, por lo que parece más aconsejable eludir la primera modalidad. No obstante, esto queda sin efecto si en la demanda aparece la exigencia de presentarlo en letra manuscrita. Cuando así se indica, es debido a que se realizarán pruebas grafológicas del candidato.

En ese caso, se debe escribir con letra clara, usando un bolígrafo o estilográfica que escriba fuerte y en color negro o azul.

Escribir a mano un currículum vitae supone hacerlo para una sola vez y, por lo tanto, requiere más dedicación.

– Currículum escrito a máquina:

Este tipo de currículum es más impersonal que el manuscrito pero proporciona mayor facilidad de lectura y garantiza, por lo general, una mejor interpretación y comprensión del texto.

Debe emplearse papel de calidad, para que no se corra la tinta, y utilizar tinta de color negro. Aunque se puede incluir subrayados, no es aconsejable abusar de los mismos. Limítese su uso a resaltar aquellos matices que se consideren importantes. Recuérdese que quien debe evaluar es el lector, no el remitente.

Otra ventaja del currículum mecanografiado es que permite sacar fotocopias, por lo que se pueden enviar gran número de solicitudes utilizando un único escrito, y se ahorra así una considerable cantidad de tiempo.

Las fotocopias deben ser claras y con la intensidad justa de tonos, es decir, evitando en la medida de lo posible que el papel presente los típicos tonos negros en los márgenes.

– Currículum escrito con ordenador:

El ordenador presenta las mismas ventajas que la máquina de escribir y, si se utiliza un procesador de textos, permite alinear el texto, centrarlo automáticamente, sangrarlo, etc. Una vez archivado es posible introducir todos aquellos cambios que convenga sin tener que modificar el resto del texto. De este modo, sólo se tendrá que redactar una vez.

No obstante, a pesar de estar muy extendido su uso, muchas empresas de selección, y en particular muchos seleccionadores, no valoran con agrado los currículums redactados mediante ordenador.

3.5. Resumen del capítulo

A continuación se exponen las características principales de una candidatura y un currículum vitae:

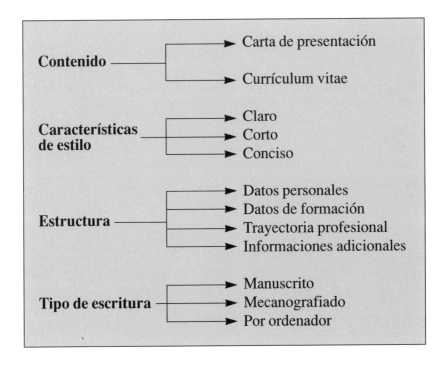

4

El contenido del currículum vitae

En el presente capítulo se detallan los requisitos que debe contener todo currículum vitae. Es importante prestar mucha atención a los mismos, ya que su omisión podría originar una imagen poco favorable del aspirante, e incluso ser causa de anulación de su candidatura.

4.1. Los datos personales

Los datos personales son de suma importancia, toda vez que cuando la empresa desee ponerse en contacto con el candidato lo hará a través del teléfono o la dirección personal que se especifique.

4.1.1. El nombre

Debe escribirse del siguiente modo:

Antonio GONZÁLEZ LÓPEZ

El nombre tiene que anteceder a los apellidos, y escribirse en minúsculas. Evitar las abreviaturas y no indicar el nombre sólo con iniciales.

Se deben escribir los dos apellidos en mayúsculas o en minúsculas. Evítese escribir en mayúsculas el nombre.

Asimismo, abstenerse de indicar abreviaturas de cargos o títulos nobiliarios antecediendo al nombre (como por ejemplo: Dr., Prof., Conde, etc.). El examinador valorará la valía y conocimientos sin necesidad de especificar los títulos o tratamientos.

Cuando sea una mujer casada, debe usar sus apellidos de soltera, ya que serán éstos los que se utilizarán en caso de establecer un contrato.

4.1.2. La dirección

La dirección especificada tiene que ser la del domicilio particular, y debe escribirse completa, es decir: calle o plaza, número, piso, puerta, así como el código postal y la ciudad. De esta manera se asegura el contacto postal, para los casos de ser seleccionado.

Por ejemplo:

Calle Zurbano, 123, 4.º 2.ª
08000 BARCELONA

4.1.3. Teléfono

El número de teléfono que se dé como referencia será el que utilizará la empresa si decide ponerse en contacto telefónico con el candidato. Por consiguiente, en el número referenciado debe resultar fácil contactar con el interesado, o, en su defecto, con quien le pueda facilitar con rapidez el mensaje. En caso de no disponer de teléfono, es importante indicar algún número de contacto, ya sea de una amistad, un familiar, etc.

Es preferible, incluso, indicar dos teléfonos de contacto o más, si no se tiene la certeza de estar siempre localizable en el mismo lugar. Los números deben estar escritos por orden de facilidad de localización; es decir, si durante la mayor parte del día se está localizable en un número, éste debe figurar en el primer lugar de la lista. Se puede indicar, entre paréntesis tras cada uno de los números, el horario de localización.

Ejemplo:

Teléfono: (93) 200.11.22
(93) 200.10.11

O bien:

Teléfono: (93) 200.11.22 (de 9 h a 18 h)
(93) 200.10.11 (a partir de las 19 h)

4.1.4. Lugar y fecha de nacimiento

Se debe ser sincero con la fecha de nacimiento que se especifica.

Si en una oferta de empleo se detalla un intervalo de edades en la que el candidato no esté incluido, éste no debe mentir sobre la edad, toda vez que si es elegido se verificarán todos los datos personales. Por lo tanto, es mejor evitar los malentendidos desde el principio.

Es aconsejable no especificar la edad, es decir, evitar indicar, por ejemplo, «tengo 25 años». El evaluador sabrá calcular la edad a partir de la fecha de nacimiento. Asimismo, evitar comentarios sobre la apariencia física, de la índole «me mantengo muy joven», o «no los aparento».

Es conveniente indicar estos datos de la siguiente forma:

Lugar y fecha de nacimiento: Barcelona, 18 de octubre de 1969.

Es más claro escribir la fecha de este modo que especificar el mes también numéricamente (18-10-69).

4.1.5. Nacionalidad

Es importante especificarla.

En caso de tener más de una se deben indicar todas ellas, así como si se es de nacionalidad extranjera y se dispone de un permiso de residencia y/o de trabajo. Si se ha producido un cambio de nacionalidad, es imprescindible indicarlo y señalar sus motivos.

Ejemplo:

Nacionalidad: Francesa (con permiso de residencia en España desde 1993).

4.1.6. Estado civil

Es preferible indicarlo y ser siempre sincero en la respuesta.

4.1.7. Detalles físicos

En un currículum vitae corriente no es aconsejable indicar los detalles y características físicas, como el peso, estatura, etc.

En la selección de algunos tipos de trabajo en los que la imagen y presencia física sean importantes, como por ejemplo los/las modelos, actores y actrices, azafatas, etc., ya se indica en el propio anuncio la conveniencia de especificar estas características.

4.1.8. Fotografía

No se debe adjuntar fotografía, salvo que se indique expresamente en el anuncio o en las condiciones de acceso al puesto en cuestión.

En caso de exigir fotografía, suele solicitarse en tamaño carné. Se debe escoger una fotografía que refleje la imagen natural del aspirante, es decir, sin extravagancias en el vestido, ni sombreros o gafas de sol, sin exageraciones en el maquillaje, etc.

La fotografía tiene que estar, además, bien recortada y sin roturas.

4.2. Estudios realizados

El nivel de formación de un candidato es, junto con la trayectoria profesional, la parte más importante del currículum. Para las personas que acceden por primera vez al mercado laboral y desean incorporarse a un puesto de trabajo, es el apartado del currículum de donde el examinador podrá extraer más conclusiones.

A partir de los estudios que ha realizado el candidato se puede evidenciar su capacitación y disposición para ocupar un puesto de trabajo. También se pueden evaluar aspectos como la constancia, la capacidad de estudio, la facilidad para aprender idiomas, etc.

En principio, en un currículum vitae se deben especificar todos los estudios realizados. Sin embargo, si se escribe a una empresa interesada en alguien con titulación universitaria no es preciso mencionar los estudios primarios, pues es evidente que si se ha accedido a estudios universitarios se posee el graduado escolar.

La información sobre los estudios realizados debe contemplar las fechas en que se han cursado, titulación obtenida, centros donde se ha estudiado y calificaciones alcanzadas. Con estos datos el evaluador podrá medir la constancia y los objetivos del candidato, así como su interés y capacidad para adaptarse a las nuevas necesidades laborales, su afán por el reciclaje y actualización profesional.

La calificación obtenida, así como el período de realización de los estudios, debe indicarse con exactitud. El evaluador sabrá constatar, a partir de otros datos incluidos en el currículum, los motivos de retraso, tales como tener que compaginar estudios y trabajo, realizar los estudios en un centro en el que se exige un nivel superior, etc.

Ejemplos:

1987-94: Arquitecto, especialidad paisajismo, por la Escuela Técnica Superior de Arquitectura de la Universidad Politécnica de Cataluña, con la calificación de Notable.

1988-93: Licenciatura en Ciencias Económicas en la Facultad de Ciencias Económicas y Empresariales de la Universidad Autónoma de Madrid. Calificación obtenida: Aprobado.

1993: Estudios de doctorado en la Facultad de Filología de la Universidad de Barcelona.

En caso de que el candidato hubiera interrumpido sus estudios, se indicará en el currículum el nivel conseguido, cursos realizados y asignaturas aprobadas. No obstante, no es preciso especificar el motivo del abandono o interrupción de los mismos. Aunque no se haya terminado una carrera universitaria, siempre es importante detallar todos los estudios que se han realizado, pues unos cursos específicos de una determinada materia pueden ser suficientes para desempeñar una tarea concreta y ocupar un puesto de trabajo.

En este caso, se debe detallar en el currículum, tal y como muestran los ejemplos:

1988-89: Estudios de Biología en la Facultad de Ciencias de la Universidad Autónoma de Barcelona. Primer curso aprobado.

1987-90: Estudios de Filosofía en la Facultad de Letras de la Universidad de Salamanca. Dos cursos aprobados.

Cuando se esté cursando algún tipo de estudios, es aconsejable detallar este hecho en el currículum, especificando el nivel conseguido, ya sea el número de asignaturas aprobadas o el número de cursos, si éstos se han superado íntegramente.

Ejemplos:
Actualmente y desde 1991, cursando estudios de Filología Inglesa en la Facultad de Filología de la Universidad de Barcelona. Cuatro cursos aprobados.

En la actualidad cursando estudios de Formación Profesional 2.º grado de Electrónica. Diez asignaturas aprobadas.

Si se han realizado estudios de doctorado o master, en los que se realice una tesis, es importante indicar la calificación obtenida. Sin embargo, no se tiene que señalar el título ni el tema de dicha tesis a no ser que esté relacionada muy estrechamente con el puesto de trabajo o responsabilidad a la que se opte.

Ejemplo:

1985-87: Estudios de doctorado en Economía de la Empresa en la Facultad de Ciencias Económicas y Empresariales de la Universidad Central de Madrid. Calificación: Apta Cum Laude.

4.2.1. Otros estudios

Aparte de los estudios reglados y reconocidos oficialmente, el candidato a un puesto de trabajo puede haber realizado otros complementarios, ya sea en escuelas públicas o privadas, con el fin de especializarse en su profesión o añadir otros conocimientos a su formación. En los casos en que tengan relación con el puesto de trabajo al que se opta, es importante reseñarlos en el currículum vitae.

Estos cursos, cursillos, seminarios, simposios, etc., se deberán explicitar en un apartado dedicado a ellos con un nombre como «otros estudios».

El esquema a seguir en este apartado será similar a lo comentado en el apartado anterior. Por lo tanto, es conveniente detallar la fecha y duración de los estudios, el centro donde se cursaron y el título o diploma obtenido.

El hecho de indicar la duración y el centro donde se han desarrollado esos estudios permitirá al evaluador tener una idea del tipo de formación recibida, pudiendo valorar la calidad de la misma, aun sin estar homologada oficialmente, en función del prestigio de la institución donde se hayan realizado dichos estudios.

A continuación se exponen algunos ejemplos de estos casos:

1994: Seminario sobre «Control Presupuestario» realizado en el Centro de Estudios para la Pequeña y Mediana Empresa. Duración: 10 horas.
1991: Asistencia al curso sobre «El Medio Natural del Montseny» en la Universidad de Verano de Barcelona. Duración: 30 horas.

1995: Diploma de Corte y Confección concedido por la Academia de Alta Costura y Sastrería de París. Duración del curso: 6 meses.

1985: Curso de Perfeccionamiento en Interpretación Musical en Orquestas de Cámara en el Conservatorio Municipal de Música de Barcelona. Duración del curso: 1 año lectivo.

4.2.2. Conocimiento de idiomas

Con la apertura de los mercados al exterior, cada vez adquiere más importancia el que los componentes de las organizaciones dominen o entiendan, como mínimo, las lenguas de otros países con los que dicha organización mantenga relaciones comerciales. Es por este motivo que, actualmente, las demandas laborales exigen con frecuencia el conocimiento de otras lenguas específicas.

Por lo tanto, es importante incluir en el currículum un apartado específico dedicado al nivel de conocimiento de distintos idiomas, así como los cursos realizados en esta área de formación, detallando los niveles y calificaciones alcanzadas, viajes de estudios, etc.

Aunque en ocasiones resulte difícil establecer el nivel de conocimiento de un idioma, se debe intentar hacerlo con la mayor objetividad posible. A tal fin, es conveniente referenciar el número de cursos realizados, grado de conversación, experiencias y estancias en otros países, etc.

Las empresas que demandan personal con conocimientos de idiomas procederán con frecuencia a someter a los candidatos preseleccionados a un examen sobre dichos conocimientos. Es esencial, pues, no mentir ni exagerar este aspecto. Es preferible un nivel aceptable del idioma solicitado, si se compensa con otros requisitos del candidato, que presentar un gran conocimiento del idioma solicitado dejando de cumplir otros requisitos.

A continuación se exponen algunos ejemplos de la forma de especificar los conocimientos de otras lenguas.

> Conocimientos de francés a nivel medio (equivalente al nivel conseguido en los estudios de bachillerato), así como de inglés, con un nivel de conversación fluida.
> Título de *First Certificate* obtenido en el año 1993, expedido por la Cambridge University con la calificación de Notable (7/10).
> Conocimientos de alemán. Actualmente cursando segundo curso en la Academia Oficial de Idiomas de Madrid.

4.2.3. Intenciones futuras de formación

En el apartado del currículum dedicado a los conocimientos y formación deben figurar los proyectos que el candidato tiene previsto realizar. Los examinadores valorarán las inquietudes y constancia de la persona, en cuanto a su propia formación. Así, si un licenciado tiene previsto realizar unos cursos de postgrado, un doctorado, un master o cualquier otro tipo de estudios de tercer grado, debe indicarlo en el currículum. También se debe exponer en el apartado de idiomas si se tiene previsto seguir ampliando los conocimientos adquiridos, o iniciar los estudios de otro idioma, etc. Igualmente hay que indicar todas las intenciones formativas que tengan relación con la oferta de empleo a la que se responde.

A continuación se presentan algunos ejemplos de los casos anteriores.

> Durante el curso 1996-97 asistiré al curso de posgrado sobre «Contabilidad analítica y control presupuestario» en la Universidad de Barcelona. La duración del curso es de 9 meses y el número de créditos es de 40.

El próximo año lectivo realizaré el curso de preparación para la obtención del título de *First Certificate* por la Cambridge University, para presentarme al examen el mes de junio.

Durante el curso próximo me matricularé en el curso de posgrado que lleva por título «El medio natural del Vallès», en la Facultad de Ciencias de la Universidad Autónoma de Barcelona. La duración del mismo es de 10 meses.

4.3. Trayectoria profesional

Este apartado adquiere una importancia sobresaliente en el currículum vitae. Aquí es donde se deben detallar todas las experiencias laborales y profesionales de la persona interesada. La forma de mencionar y especificar cada una de las experiencias laborales dependerá del número de empresas en que se ha trabajado, los puestos ocupados, etc. No es lo mismo escribir un currículum mediante el cual se desea acceder a la primera ocupación laboral «seria», que el de una persona con larga trayectoria profesional, que redacta un currículum para acceder a un puesto de trabajo que le aporte mejores condiciones de trabajo, más ingresos, nuevas perspectivas, mayores responsabilidades, etc.

Una persona que acaba de terminar una carrera universitaria y quiere acceder al mercado laboral debe indicar en el currículum las ocupaciones que ha desempeñado hasta el momento, aunque éstas no tengan ninguna relación con el trabajo al que se aspira, y a pesar de que, como sucede a menudo, hayan sido de breve duración (veranos, colaboraciones esporádicas, etc.).

En cambio, un profesional que lleva quince años trabajando en una especialidad concreta y aspira a un puesto de trabajo relacionado con la misma, debe resaltar en el currículum la experiencia laboral directamente relacionada con dicha profesión, oficio o especialidad. Además, expondrá más detalladamente los puestos de mayor responsabilidad o importancia que haya ocupado.

Por consiguiente, la forma de especificar las experiencias laborales y la trayectoria profesional es muy variable. Cada candidato elegirá, en función de su caso particular, las experiencias más convenientes a mencionar y, de ellas, cuáles son las susceptibles de ampliar y resaltar.

4.3.1. Forma de exponer la experiencia profesional

El apartado dedicado a la experiencia profesional y laboral debe facilitar, con una simple lectura, un análisis exhaustivo de la trayectoria profesional y experiencia laboral del candidato.

Para ello, el currículum profesional debe dar información acerca de:

– Empresas en que se ha trabajado con anterioridad.
– Sector y ubicación de las mismas.
– Período de tiempo durante el que se ha trabajado en cada una de ellas.
– La categoría profesional alcanzada, así como el número de personas, y categoría de las mismas, que se ha tenido o se tiene bajo propia responsabilidad, si es el caso.
– Tareas y responsabilidades asumidas.

La forma más sencilla y clara de reflejar este nivel de información consiste en elaborar una lista ordenada cronológicamente. Especificar el período durante el que se ha trabajado en la empresa y, a continuación, los datos que se considere más significativos.

El período de cada trabajo se puede detallar indicando en cada uno de ellos el mes y año en que se cursó alta, y el mes y año de la baja, o bien sólo los años de alta y baja. Esta diferencia dependerá del tiempo que se haya trabajado en cada empresa. Si se ha trabajado un período largo (por ejemplo cinco años) no es preciso detallar los meses. En cambio, si se ha permanecido durante un tiempo inferior a un año, es aconsejable detallar el período concreto.

El esquema siguiente ejemplifica el modo de ordenación de los conceptos.

Experiencia profesional:

Fecha: Nombre de la empresa, ocupación,
(Año «i»   categoría profesional, etc.
a año «f»)

4.3.2. Exposición del tipo de tareas realizadas en los anteriores puestos de trabajo

El currículum profesional debe contemplar todos los trabajos que ha realizado el candidato, tanto si tienen relación con el empleo al que se aspira como si no es así. Aun en el caso de que una tarea sea muy distinta a otra, el examinador de las candidaturas puede encontrar relación entre ellas, y aunque no exista relación, valorará el hecho de haber llevado a cabo otros tipos de trabajo y poseer otras experiencias.

La exposición del puesto que se ha ocupado y las tareas realizadas debe ser, al igual que todo el currículum, de fácil lectura, y contener la máxima información en el mínimo espacio.

Ejemplo:

Experiencia profesional:
1986-87: INFORMASA, empresa de programas informáti-

cos. Auxiliar administrativo, desarrollando tareas de contabilidad y gestión de tesorería.

1987-90: INFOTEL, empresa de comercialización de productos telefónicos. Contable de la empresa.

1990 hasta hoy: TELECOMISA, empresa de telecomunicaciones. *Cash manager* del grupo, en la filial con sede en Barcelona.

Cuando el candidato tenga en su haber una extensa experiencia en trabajos poco relacionados entre sí, resulta aconsejable detallarlos en una lista, destacando los que puedan tener más relación con el puesto interesado. De este modo se evitará un currículum demasiado extenso, que puede provocar la descalificación automática del candidato.

Por ejemplo, si un candidato elabora un currículum en respuesta a un anuncio de una empresa que solicita un auxiliar contable, pero su experiencia laboral ha sido como mozo de almacén, pintor, fresador y auxiliar administrativo, resaltará en el currículum las tareas realizadas en este último puesto y solamente mencionará las demás, toda vez que no tienen relación directa con el puesto al que se quiere acceder.

Experiencia profesional:

1986-87: ALUMITEC S.A. Tareas en almacén.

1987-89: PINTATOT S.L. Pintor de la empresa.

1989-92: MATRIZFERR S.A. Fresador.

1992-95: CORTALUM S.L. Auxiliar administrativo, desarrollando tareas de soporte al departamento de contabilidad, facturación, confección de informes comerciales y gestión de operaciones con entidades bancarias.

4.3.3. Motivos del cese en las empresas

Tal como se indica en el punto anterior, en un currículum se debe incluir por orden cronológico todos los trabajos realizados y las empresas donde se han desarrollado.

Es importante no omitir ninguno de los puestos ocupados, aun en el supuesto de que haya sido una mala experiencia laboral. De no hacerlo así, el currículum pecará de inexacto y aparecerán períodos de tiempo vacíos, que pueden dar la impresión de inactividad.

En el currículum profesional no es preciso mencionar el motivo de cese en una empresa, ya se trate de causas ajenas al aspirante o por decisión propia.

De ser seleccionado el currículum, el candidato tendrá oportunidad de manifestar aquellos motivos que considere oportunos, en la entrevista a la que será convocado. El objetivo es evitar dar explicaciones, máxime si no resultara seleccionado, y en orden a que el currículum sea conciso.

4.3.4. Responsabilidades adquiridas en anteriores puestos de trabajo

A lo largo de una carrera profesional, y con el paso del tiempo, se suelen ir adquiriendo más responsabilidades y experiencias, bien en el mismo puesto de trabajo o en los diferentes cambios de sección, departamento o empresa. Este incremento de las responsabilidades conlleva, habitualmente, aumentos de categoría profesional y, por lo general, tener que dirigir a más personas.

Este progreso en la vida profesional debe figurar en el currículum, pues será valorado positivamente por los examinadores del mismo. No se valorará de igual forma a una persona que durante veinte años haya desempeñado el mismo trabajo administrativo sin responsabilidad alguna, que a una persona que en cinco años haya pasado de desempeñar tareas de auxiliar administrativo a ser contable de una empresa.

Evidentemente, tampoco tendrá el mismo grado de valoración si este último caso se ha producido en una organización multinacional, con una plantilla de 1.000 personas, o en una empresa de dimensiones reducidas, con 15 trabajadores.

A continuación vamos a profundizar en estos aspectos del currículum, teniendo en cuenta el nivel de formación y la trayectoria profesional del candidato.

La descripción detallada de los aspectos profesionales debe realizarse en aquellos currículums en los que se refleje una evolución continua del desarrollo profesional. Así, si el currículum lo presenta alguien con poca experiencia en el mundo laboral, que no ha desempeñado tareas de cierto grado de responsabilidad, no es preciso que destaque las carencias de responsabilidad. La mejor forma de hacerlo es redactar un currículum profesional siguiendo los modelos de los ejemplos anteriores.

Por el contrario, si una persona ha ocupado puestos directivos durante los últimos quince años, redactará un currículum profesional donde resaltará y comentará detalladamente cada uno de los aspectos mencionados.

A continuación se muestran algunos ejemplos.

Experiencia profesional:

1980-86: Director comercial de LAMPSICA S.A., empresa mediana del sector metalúrgico, con una plantilla de 70 personas y una facturación anual aproximada de 900 millones. Dirección de un equipo profesional de 4 personas, y realización de tareas comerciales, elaboración de planes de marketing, investigación de mercados, negociación con los clientes más importantes, así como confección y seguimiento de los presupuestos departamentales.

1986-93: Director financiero de la empresa constructora PISDUP S.A., con una plantilla de 120 personas, y una facturación de 2.000 millones. Con un equipo profesional de 6 personas bajo mi dirección, realización de las tareas de supervisión del departamento, elaboración de planes de viabilidad, presupuestos, análisis de las inversiones, elección de los sistemas de financiación, etc.

1993 hasta la fecha: Gerente de PISO TON S.A., empresa constructora con una plantilla de 100 personas y una facturación aproximada anual de 2.500 millones. Tareas propias de gerencia, con total delegación por parte del Consejo de Administración.

4.3.5. Otros aspectos

En algunas ofertas publicadas en revistas, periódicos u otros medios de comunicación, se solicita que se expliciten ciertas condiciones concretas, referidas a determinados aspectos que puedan influir decisivamente en la elección de candidatos. Cuando se pide alguna de estas especificaciones, éstas deben figurar inexcusablemente en el currículum. De no ser así, lo más probable es que la solicitud quede automáticamente invalidada.

La petición más corriente consiste en que el candidato indique el salario orientativo que desea percibir, o bien el sueldo que percibía en la última o actual empresa.

Si la petición hace referencia al último sueldo en el anterior puesto de trabajo, el aspirante facilitará la cantidad bruta anual percibida. De tener que indicar el sueldo deseado, pueden presentarse distintos casos:

a) Que la cantidad especificada en el currículum sea igual o inferior a la cantidad que está dispuesta a ofrecer la empresa. En este caso no habrá ningún problema para el demandante, ya que la negociación se ajustará a los intereses del candidato. En el supuesto de que el resto de requisitos se cumplan, la solicitud entrará dentro de la selección.

b) Que la cantidad solicitada sea superior a la que está dispuesta a pagar la empresa anunciante.

En principio la solicitud será desestimada, ya que no entra en los proyectos ni en el presupuesto del demandante. Sólo en el caso de que el aspirante sea el mejor clasificado de la selección podrá acceder a negociar o mejorar la oferta monetaria fijada a priori.

c) El aspirante puede optar por no especificar ninguna cantidad, indicando estar dispuesto a percibir el sueldo que la empresa tenga intención de pagar. En este caso, si el aspirante resulta seleccionado, negociará la remuneración.

¿Cuál es la mejor alternativa?

La respuesta varía en cada caso y circunstancia. Cuando se desconoce la retribución a la que está dispuesta a llegar la empresa, es muy difícil fijar la cantidad a solicitar, a fin de evitar resultar perjudicado. Si se solicita una cantidad inferior a la que parezca justa y se es seleccionado, siempre se tendrá la sensación de que podría haberse fijado una cantidad mayor. De haber pedido una cantidad mayor y no quedar seleccionado, se creerá que ha sido debido a un exceso en la cifra indicada. Por último, la alternativa de no especificar ninguna cantidad puede ocasionar al aspirante una inversión de tiempo y esfuerzo en superar las distintas pruebas de selección y, posteriormente, tener que rechazar el puesto de trabajo por desavenencias con la retribución ofrecida por el anunciante.

Por lo tanto, la mejor alternativa parece ser la de indicar una cantidad semejante a la media que ofrece el mercado para un puesto de trabajo similar. Si resultara inferior a la que realmente desea el aspirante, siempre cabe la posibilidad de negociar, o bien solicitar un aumento una vez se demuestre la valía en el desarrollo de la actividad.

4.4. Currículum vitae especiales

Hasta este punto, se han comentado unos tipos y modelos de currículum que podríamos clasificar como corrientes o convencionales, y que, de hecho, sirven para la mayoría de demandas de trabajo.

Cada tipo o puesto de trabajo, cada empresa, cada proceso de selección, exigirá y demandará unas informaciones diferentes, pero todas ellas siguen una misma línea.

En resumen, podríamos describir un currículum convencional como el que sirve para atender cualquier demanda de empleo, y que contiene esencialmente los siguientes datos del candidato:

– Datos personales
– Estudios realizados
– Experiencia profesional

Sin embargo, algunas organizaciones e instituciones solicitan una información adicional o distinta de la usual. En estos casos, el currículum a redactar adquiere un carácter especial. Un modelo confeccionado para otras solicitudes no tendrá utilidad.

Un ejemplo de selecciones que requieren la redacción de un currículum especial, lo constituyen aquellas que realizan empresas y entidades, generalmente de grandes dimensiones, en las que ya se facilita un impreso especialmente confeccionado a tal efecto. Este impreso contiene las cuestiones a cumplimentar, ofreciendo un espacio para que el candidato responda.

Otro ejemplo de currículum diferenciado es el que requieren universidades y centros de formación para acceder a becas, plazas de profesorado, puestos de investigación, etc.

En estos últimos casos, se hace mayor hincapié en la formación académica que en la propia experiencia laboral.

En el capítulo 6 se exponen algunos ejemplos de estos tipos de solicitudes.

4.5. Otras especificaciones

Aquí nos referiremos a otros aspectos, aclaraciones, especificaciones, información adicional, etc., que se suelen añadir a algunos currículums. Veremos el modo de establecer unos criterios sobre la conveniencia de añadir esta información.

Estos aspectos contemplan informaciones no vinculadas directamente a los aspectos generales que conforman todo currículum, como son los datos personales, formación y experiencia profesional. Esta otra información suele referirse a aficiones, *hobbies*, referencias personales, etc.

En principio, y como norma general, no es conveniente añadir información adicional en el currículum, a no ser que la empresa demandante así lo indique, bien en el anuncio informativo, o bien en los formularios específicos facilitados por la misma.

Aunque a primera vista pueda parecer que esta información es de utilidad para el examinador, no es aconsejable incluirla en el currículum. Una vez superada la primera selección, y si se accede a la entrevista personal, será el psicólogo el que se interese por estas cuestiones y las valore.

En algunas circunstancias puede resultar de interés resaltar estos aspectos, por considerar que están estrechamente relacionados con el tipo de trabajo al que se desea acceder. Aunque no sean aspectos relacionados con el desempeño de un trabajo remunerado, es posible que el candidato posea aficiones o habilidades que pueden resultar de gran utilidad para el puesto solicitado.

En estos casos, el candidato sí añadirá estas actividades en el currículum. Le podrá servir de ayuda al examinador, en el momento de valorar la candidatura.

Por ejemplo, si una persona desea acceder a la selección para una plaza de guía turístico, y ha realizado múltiples viajes por los cinco continentes, debe incluir estos datos en un apartado especial, que podría denominar «aficiones» u «otras informaciones». Estas circunstancias facilitarán al evaluador del currículum unos baremos adicionales para calificar positivamente su candidatura. Por el contrario, si la misma persona desea acceder a ocupar una plaza de administrativo en un concesionario de automóviles, esta información no tendrá ninguna relevancia. Resultará, pues, innecesario incorporarla en el currículum vitae. En todo caso, en una entrevista personal se podrá mencionar y entonces el examinador lo valorará como proceda.

5
La carta de presentación

En el capítulo 2 se comentó los distintos procedimientos de que dispone un candidato para contactar con una empresa, ya sea por demanda directa de ésta, o por haber enviado un currículum por propia iniciativa.

Al enviar cualquier información a una empresa se debe adjuntar una carta en la que se especifique el tema al que hace referencia la documentación remitida. Téngase en cuenta que a una empresa llegan diariamente multitud de cartas, documentación e información de muy diversa índole. Es por medio de las cartas de presentación, que se identifica cada asunto y se hace llegar al responsable o encargado de recibirla y tratarla adecuadamente.

En el caso concreto del currículum vitae, la carta tiene como misión fundamental la presentación del mismo, así como la identificación de la demanda o tipo de trabajo que se solicita.

Lo comentado hasta ahora es suficiente para resaltar la enorme importancia que adquiere la carta, así como su presentación y contenido.

5.1. Contenido de la carta de presentación

El contenido de la carta de presentación puede variar en función del medio a través del cual el candidato se pondrá en contacto con la empresa. Sin embargo, destacamos aquellos aspectos de obligado comentario en todo tipo de cartas introductorias a un currículum vitae.

5.1.1. Requisitos a cumplir para cualquier carta de presentación

Todas las cartas de presentación deben contener los siguientes puntos:

– Fecha: La fecha permitirá ordenar cronológicamente las distintas solicitudes. Esta ordenación facilita la actualización de los archivos relacionados con la selección de personal, así como poder incluir o desestimar las ofertas de empleo siguiendo un criterio cronológico.
– Nombre y firma del remitente: En toda carta de presentación debe especificarse el nombre y la firma de la persona que la escribe. De este modo se identifica fácilmente el currículum con la carta.
– El nombre de la empresa a la cual va dirigido el currículum vitae: Es aconsejable indicar, en la parte superior derecha de la carta de presentación, el nombre y la razón social de la empresa a la cual se dirige el candidato.

Cada uno de los puntos anteriores tiene un lugar de colocación determinado, de modo que las cartas de presentación se estructuran de forma similar. Esta estructuración facilita al destinatario la identificación de los aspectos en los que pueda estar interesado. Si el examinador desea saber quién es el remitente de la carta, le resultará mucho más sencillo localizar el dato en el mismo lugar de cada una de ellas, que revisar todo su contenido.

A continuación se expone un modelo de estructura para la elaboración de la carta de presentación.

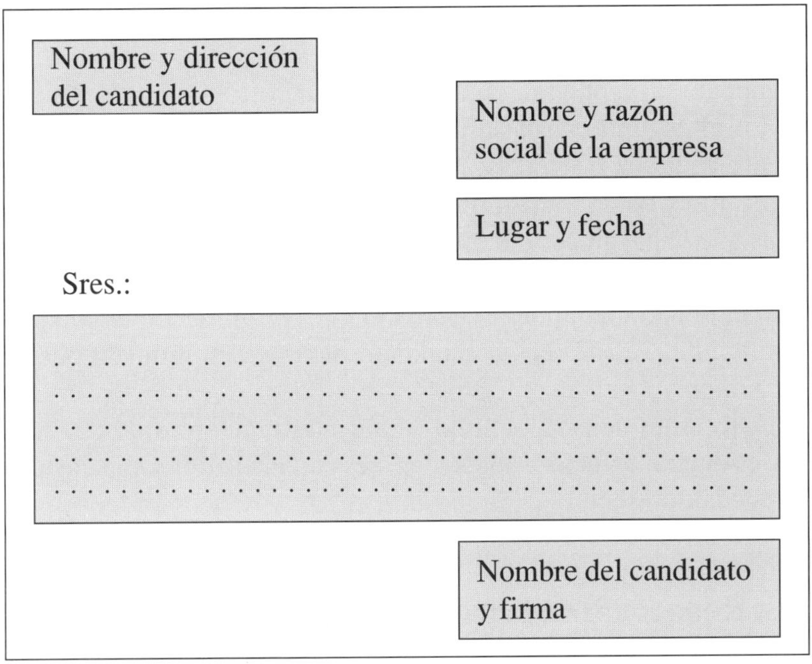

Figura 1. Estructura de una carta de presentación.

5.1.2. Aspectos particulares de la carta de presentación

Tal como se ha expuesto en el punto anterior, la carta de presentación tiene como objeto introducir el currículum vitae. Por lo tanto, la información que contiene variará en función de la naturaleza u origen del contacto con la empresa. Por ejemplo, la carta dirigida a una empresa que ha publicado una oferta de empleo en un medio de comunicación será distinta de otra que se envía espontáneamente, sin que la empresa haya manifestado la necesidad de cubrir una vacante en su plantilla.

En el primer caso, es imprescindible hacer mención del anuncio publicado, indicando el código de referencia relacionado con el puesto de trabajo. De este modo, la empresa clasifica directamente los currículums en cuanto se reciben las solicitudes, y se evita la eliminación automática del candidato, o la pérdida de tiempo en la identificación de la solicitud.

En el segundo caso, la presentación no contendrá, evidentemente, ninguna referencia. No obstante, el candidato podrá hacer constar el tipo de trabajo que solicita, o bien aquellas características que le hayan podido estimular a escribir la solicitud.

En caso de obviar esta información se dará por entendido que será el departamento de personal el que, examinando el currículum adjunto, clasifique al candidato para un determinado puesto de trabajo.

A lo largo de este capítulo se muestran ejemplos de distintas cartas de presentación, adaptadas a eventuales circunstancias que se puedan presentar.

5.2. Redacción de la carta de presentación

La redacción de la carta introductoria del currículum vitae reunirá una serie de requisitos, los cuales comentamos a continuación.

– Brevedad: La carta de presentación, del mismo modo que el currículum vitae, debe contener la máxima información en el mínimo espacio posible. Redactar una carta larga no es sinónimo de calidad. Resulta innecesario escribir una larga presentación para impresionar al lector de la misma; por el contrario, lo más probable es que despierte una reacción de aburrimiento o cansancio, en lugar de admiración o interés.

La capacidad de síntesis se valora de forma positiva por parte de los examinadores.

– Estilo: El estilo en la carta de presentación debe ser claro y conciso, sin caer en el verbalismo, el exceso de tecnicismos,

etc. No se trata de escribir con lenguaje literario sino de expresar conceptos, lo más breve y claramente posible.
- El texto debe estar escrito en primera persona del singular.
- En la carta de presentación, al igual que en el currículum, se tiene que evitar escribir frases de opinión o propaganda por parte del candidato. Es decir, oraciones del tipo «creo que soy muy válido para desempeñar este tipo de tareas» o bien «mi preparación es ideal para esta oferta de empleo», etc. se deben omitir.

En las solicitudes que facilitan algunas empresas para la selección de personal se incluye un apartado en el que se piden los motivos por los cuales el interesado considera válida su candidatura. En este tipo de solicitudes sí se debe escribir la opinión particular y puede ser una buena oportunidad para «promocionarse».

5.3. Presentación de la carta

La carta de presentación debe escribirse en una hoja blanca del mismo tamaño que las del currículum. No debe presentar tachaduras, manchas ni rectificaciones que manifiesten falta de pulcritud por parte del candidato.

En cuanto al tipo de escritura, se puede presentar manuscrita, tecleada en una máquina de escribir o bien impresa por ordenador, cuando el anuncio no indique una forma determinada. No obstante, es recomendable enviarla manuscrita, ya que resulta más personal, y el examinador puede, si lo desea, utilizarla para realizar pruebas grafológicas o de personalidad.

Es indiferente que se escriba el currículum en un estilo igual o distinto al de la carta de presentación. El examinador se hace cargo de que el currículum, generalmente, se tiene archivado informáticamente, o bien se realizan fotocopias. En cambio, la carta de presentación se elabora expresamente para cada solicitud que se envía.

5.4. Ejemplos de cartas de presentación

Tal y como se viene resaltando a lo largo de este capítulo, la carta de presentación contendrá distinta información en función del procedimiento y conducto que se sigue al enviar un currículum. A continuación se presentan distintos casos y ejemplos de cartas introductorias de un currículum vitae.

– Si el currículum se envía a una empresa de la que no se tiene constancia tenga previsto demandar personal en un período de tiempo próximo, la carta de presentación puede ser como sigue:

> Señores:
>
> Con la presente les adjunto currículum vitae con mis datos personales, experiencia profesional y formación, por si les es de interés en una presente o futura selección de personal, para cubrir un puesto en el departamento de administración.
>
> Quedo a su disposición para cualquier aclaración. Reciban un cordial saludo.

> Señores:
>
> Aunque no tengo constancia de una demanda de trabajo por parte de ustedes para cubrir un puesto de ingeniero técnico industrial, les remito mi currículum vitae con mi experiencia profesional anterior y mi formación, por si pudiera ser de su interés en una posible futura selección.
>
> Quedo a su disposición para cualquier tipo de asunto.
> Atentamente,

– En caso de que el currículum vitae se remita como respuesta a una oferta laboral publicada en un medio de comunicación, la carta de presentación será del siguiente tipo:

Señores:

En relación con el anuncio publicado en el diario «La Vanguardia» con la referencia 12/896, demandando una persona para cubrir un puesto de auxiliar contable, les adjunto mi currículum vitae para su análisis y evaluación.

Esperando pronta respuesta, quedo a su disposición para cualquier tipo de aclaración.

Reciban un cordial saludo.

Señores:

En respuesta a la demanda laboral para cubrir una plaza de visitador médico, publicada el día 12.06.95 en el periódico «Avui» con la referencia 18.523, les remito mi currículum vitae con el propósito de formar parte de la selección.

Quedo a su disposición, esperando un pronto contacto. Reciban un atento saludo.

Señores:

Les remito mi currículum vitae con los requisitos para formar parte de la selección que realizarán, a fin de cubrir una plaza de analizador químico, según el anuncio aparecido en el diario «El Periódico de Catalunya» el día 12.03.95 con el n.º de referencia 349/95.

Quedo a la espera de una entrevista con ustedes. Reciban un atento saludo.

5.5. ¿A quién va dirigida la carta de presentación?

El currículum vitae y la carta de presentación se deben dirigir a la dirección que señale el anuncio (en caso de que así se indique en una demanda concreta publicada en un medio de comunicación) o a la dirección de la empresa a la que se desee hacer llegar la candidatura. En este segundo caso, es preferible añadir en la parte izquierda de la cara posterior del sobre la expresión «Departamento de Selección», o «Departamento de Personal». De este modo se evitará que el currículum circule por distintos departamentos de la empresa antes de llegar a su destino, o pueda acabar en la papelera.

De conocer a alguna persona del departamento de selección, es aconsejable escribir en el sobre: «A la atención del Sr...», y de este modo será esa la persona que directamente abrirá la carta.

Si el destinatario de la carta de presentación es una persona en concreto, la carta se dirigirá a su nombre y se pueden añadir expresiones del tipo «Estimado Sr...» u otras formas de cortesía, dependiendo del grado de confianza y del tipo de relación que se tenga con dicha persona.

En caso de que la carta no vaya dirigida a nadie en particular, o no se conozca a nadie de la empresa ni del departamento a quien se remite, encabezará el texto introductorio la forma: «Señores:», aunque también se puede recurrir a formas más corteses como «Distinguidos señores» o bien «Estimados señores», etc.

Cuando se entregue el currículum vitae en mano, sin entrevista concertada, es decir, en aquellos casos en que el candidato presente por iniciativa propia el currículum a la empresa, se aconseja siempre adjuntar una carta de presentación. Esta carta será entregada en recepción y no habrá ningún contacto inmediato con el departamento de personal, o de selección, hasta que dicha oferta pueda ser de su interés.

Sólo en el caso de presentar un currículum vitae directamente al departamento o persona encargada de la selección, se puede obviar la presentación de carta introductoria. Tal es el caso si se acude a una empresa de selección de personal o de contratación temporal.

6
Ejemplos de currículum vitae

En este capítulo se muestran algunos modelos de currículum vitae, referidos a distintos niveles de formación y experiencia profesional. El lector podrá utilizarlos como orientación en el momento de redactar su propio currículum. No se trata de copiarlos modificando los aspectos personales, sino de utilizarlos como referencia.

La clasificación se ha hecho en base a aspectos formativos (modelos situados al principio) y aspectos profesionales (ejemplos posteriores). Evidentemente, todos tienen cosas en común, es decir, puede comprobarse que muchos de los currículums presentan carreras universitarias, y solamente algunos están clasificados según este criterio. Se han clasificado de forma que cada uno de ellos refleje distintos aspectos característicos. De este modo, el lector puede confeccionar su currículum adaptándose al modelo que considere que se asemeja más a su trayectoria profesional y de formación.

6.1. Currículum vitae de una persona con estudios primarios

Estos currículums requieren mencionar todos los estudios realizados a partir de la enseñanza básica, dado que es la única formación académica que se posee. Asimismo, se hará constar la experiencia profesional, pues será, por lo general, la base de la candidatura.

A continuación se presenta un currículum con estas características.

CURRÍCULUM VITAE

Datos personales:
Nombre: Juan Pérez Gómez
Dirección: Ramblas, 116. 2.º 3.ª - 08452 Cádiz
Teléfono: (956) 22.22.22
Lugar y fecha de nacimiento: Cádiz, 12 de noviembre de 1965
Nacionalidad: Española
Estado civil: Soltero

Estudios realizados:
— 1971-80: Enseñanza General Básica en el Colegio de los Salesianos de Cádiz. Conseguido el Graduado Escolar con la calificación de Aprobado.
— 1980-82: Durante dos cursos realicé estudios de Formación Profesional, rama electrónica, en la Escuela Industrial de Cádiz, superando un total de 10 asignaturas.

Conocimiento de idiomas:
— Francés: Durante un período de tres años (1989-92), asistí a cursos de francés en la Academia Oficial de Idiomas de Cádiz, obteniendo la calificación de Notable.

Experiencia profesional:
— 1983-86: Empresa metalúrgica TORNILLO S.A. Empleado de almacén en la empresa, realizando labores propias del puesto, como recepción y expedición de albaranes, recuento de inventarios, distribución del material, etc.
— 1986-91: Empresa química MATRAS S.A. Encargado de almacén en la empresa. Con un equipo de dos personas a mi cargo, desempeñé tareas de control de inventarios bajo la supervisión directa del jefe de fábrica. así como control de entradas y salidas de material, recepción de mercancías, etc.

- 1991 hasta hoy: Transportes FURGONETA S.L., empresa de transportes urgentes. Conductor de furgoneta para dicha empresa, realizando transporte urgente por toda la provincia de Cádiz.

Otras informaciones:
Poseedor del carné de conducir B1 y B2 desde 1986, y vehículo propio.

6.2. Currículum vitae de una persona con estudios secundarios

La tónica a seguir para la confección de esta clase de currículums es la misma que la del punto anterior (6.1), pero, lógicamente, la parte dedicada a formación será más extensa. A continuación se expone un ejemplo.

CURRÍCULUM VITAE

Datos personales:
Nombre: Rosa Gómez Cebollín
Dirección: Sevilla, 423. 1.º 2.ª - 07562 Madrid
Teléfono: (91) 333.33.33
Lugar y fecha de nacimiento: Toledo, 25 de agosto de 1967
Nacionalidad: Española
Estado civil: Casada, sin hijos

Estudios realizados:
- 1973-1982: EGB en el Liceo Francés de Madrid. Título de Graduado Escolar con la calificación de Sobresaliente.
- 1982-1986: Estudios de BUP en el mismo centro. Obtención del título con la calificación de Notable.

Conocimiento de idiomas:
- Francés escrito y hablado con corrección y fluidez.
  Curso de perfeccionamiento y francés comercial realizado en la Academia de Idiomas «Languages Centre». Calificación obtenida: Notable.

– Nociones de inglés. Aprobado el primer curso (con calificación de Sobresaliente) y actualmente realizando el segundo nivel en la misma academia.

Informática:
Conocimientos de informática a nivel de usuario. Dominio del sistema operativo Windows, así como nociones de tratamiento de textos y hojas de cálculo.

Experiencia profesional:
– 1986-89: Empresa ALGODÓN 100% S.L. Trabajo de dependienta en un establecimiento situado en el centro de Madrid. Tareas comerciales, así como de contabilidad y tesorería.
– 1989-93: Empresa ROPACARA S.A. Jefa de dependientas de una tienda situada en una gran superficie comercial ubicada en la periferia de Madrid. Con un equipo de 4 personas bajo mi responsabilidad, tenía a mi cargo el control y la gestión del establecimiento.
– 1993-95: Trabajé en un negocio propio dedicado a la venta al detall de ropa infantil, desempeñando tareas de ventas, administración y control del negocio, con dos dependientas bajo mi responsabilidad.

Otras informaciones:
Carné de conducir B1 desde 1989 y vehículo propio.

6.3. Currículum vitae de una persona con título universitario (I)

En un currículum vitae de esta índole la parte dedicada a estudios realizados cobrará mayor importancia, y en el caso de recién licenciados será la más significativa.

Cuanta mayor experiencia profesional se vaya adquiriendo este aspecto pasará a un plano más secundario en favor de un currículum profesional más extenso.

A continuación se presentan ejemplos de estos casos.

CURRÍCULUM VITAE

Datos personales:
Nombre: Juan Fus Grande
Dirección: Gratallops, 52 - 05203 Mollet del Vallès
Teléfono: (93) 444.44.44
Lugar y fecha de nacimiento: Barcelona, 2 de febrero de 1970
Estado civil: Soltero

Estudios realizados:
- 1988-1994: Licenciado en Biología en la Facultad de Ciencias de la Universitat Autònoma de Barcelona, con la calificación de Notable. Especialidad Biología Animal.
- 1994-1995: Curso de posgrado con el título «Los invertebrados del Mediterráneo» en la Universitat de Barcelona, con un valor de 30 créditos. Superado con la calificación de Sobresaliente.
- 1994: Curso de Etología organizado por el Departamento de Educación del Parque Zoológico de Madrid.

Idiomas:
- Inglés: Título de *First Certificate* expedido por la Cambridge University en el año 1992.
- Francés: Nivel medio de francés, pudiendo mantener una conversación fluidamente.
- Alemán: Actualmente cursando estudios de alemán (primer curso) en la Escola Oficial d'Idiomes de Barcelona.

Informática:
- Curso de programación en lenguaje Cobol realizado en 1994 en el Centro de Informática ORDIPLUS.
- Actualmente realizando un curso de ofimática en el mismo centro.

Experiencia profesional:
- 1989-93: Trabajo administrativo en una empresa dedicada a la formación (FORMAT S.L.) ubicada en Barcelona, desempeñando tareas propias de administración, como facturación, auxiliar de contabilidad, etc., así como atención e información al público interesado.

– 1993-95: Parque Zoológico de Barcelona. Ayudante del departamento de investigación.

Otras informaciones:
– Carné de conducir B1 desde 1990. Vehículo propio.
– Responsable de la sección de ornitología de una agrupación naturalista.

6.4. Currículum vitae de una persona con título universitario (II)

CURRÍCULUM VITAE

Datos personales:
Nombre: Josefa Osorio Ribera
Dirección: Norte 34, 2.º 1.ª - 08201 Sabadell
Teléfono: (93) 444.33.33
Lugar y fecha de nacimiento: Negreira, 10 de marzo de 1964
Estado civil: Soltera

Estudios realizados:
– 1982-86: Diplomatura en Ciencias Empresariales en la Escuela Universitaria de Estudios Empresariales de Vic. Calificación obtenida: Notable.
– 1986-88: Estudios de Ciencias Políticas en la Facultad de Ciencias Políticas y Sociología de la Universidad de Barcelona. Licenciada con la calificación de Notable.
– Desde 1993: Cursando estudios de Ciencias de la Información en la UNED (Universidad de Educación a Distancia), faltándome dos asignaturas para obtener la licenciatura.

Idiomas:
– Inglés hablado y escrito perfectamente. Estudios hasta nivel de

First Certificate, habiendo permanecido durante 3 veranos estudiando inglés en la ciudad de Canterbury (Gran Bretaña).
– Conocimientos de francés, hasta el nivel exigido para superar las pruebas de acceso a la Universidad.

Informática:
Conocimientos a nivel de usuario de entornos Windows y sistema operativo DOS. Experiencia en uso de ordenadores con otros sistemas operativos.

Experiencia profesional:
– 1986-89: Banco XXX. Trabajo en distintas oficinas y departamentos del grupo bancario. Tareas de tipo administrativo y comercial, debiendo cumplir con los objetivos marcados por el jefe de zona de la entidad.
Durante este período estuve realizando cursillos impartidos por formadores internos del banco, sobre productos financieros, contabilidad y técnicas comerciales.
– 1989-93: Grupo Asegurador XXX. En la delegación de Barcelona, realización de tareas comerciales, en dependencia directa del director comercial. Mi trabajo consistía en cumplir unos objetivos prefijados por la Dirección, referidos a la comercialización de una amplia gama de productos que ofrece la empresa. Asimismo, realizaba previsiones y posterior análisis de las desviaciones de las ventas.
– Desde 1994: Radio XXX. Directora del departamento financiero de la cadena radiofónica. Dependiendo del director general, ejecución de las tareas propias del puesto.

Otras informaciones:
– Colaboraciones en distintos medios de comunicación, participando en debates y programas de opinión.
– Publicación de distintos artículos de temática económica y política en diversas revistas y periódicos especializados.

6.5. Currículum vitae especial (I)

Algunas demandas específicas exigen un currículum vitae «especial». Este es el caso de un estudiante, doctor, médico u otro profesional, que desea acceder a una ayuda o puesto de trabajo específico, para el que se exigen requisitos no habituales.

Ejemplos de estos requisitos pueden ser los que se requieren a los licenciados que desean acceder a un puesto de doctorado. En estos casos se da mucha importancia al expediente académico, a publicaciones en las que se ha intervenido, trabajos de investigación efectuados, etc. Por el contrario, la experiencia laboral y profesional anterior carecerá de importancia, si no tiene ninguna relación con el tipo de estudios al que se quiere acceder.

Por lo tanto, se debe redactar un currículum vitae muy centrado en estos aspectos, explicitando detalles sobre asignaturas, notas, trabajos, tesis, etc., que puedan otorgar al candidato ventajas frente a la competencia que se producirá para la cobertura de la plaza.

Otros ejemplos de este tipo de solicitudes son la cobertura de puestos de profesorado en institutos y universidades, solicitud de becas, ya sean nacionales o en el extranjero, accesos a cursos de posgrado, doctorados, etc., o presentación a concurso para la ejecución de un proyecto determinado.

A continuación se muestra un currículum de una persona que ha realizado un doctorado y desea acceder a un puesto de profesor titular en una universidad.

CURRÍCULUM VITAE

Datos personales:
Nombre: Anselmo Bernat Casas
Dirección: Major, 41, 2.º 1.ª - 08110 Girona
Teléfono: (972) 66.66.66
Lugar y fecha de nacimiento: Girona, 12 de septiembre de 1965
Estado civil: Casado

Estudios realizados:
- 1983-88: Licenciado en Ciencias Químicas por la Universidad Autónoma de Madrid. Calificación obtenida: Notable.
- 1988-94: Doctorado en Ciencias Químicas por la Universidad Autónoma de Barcelona. Presentación de tesis doctoral con el título «Semiconductores en la industria textil», con la calificación de Matrícula de Honor.

Cursos realizados durante el tercer ciclo:
- Análisis conformacional
- Análisis multivariante
- Biosensores
- Fotoquímica orgánica
- Modelización del disolvente en las reacciones químicas
- Organometálicos en química orgánica
- Polímeros sintéticos
- Resonancia de transferencia electrónica
- Química de semiconductores
- Química bioinorgánica
- Síntesis de productos orgánicos ópticamente activos
- Membranas líquidas

Otros estudios:
- 1992: Asistencia al seminario «XXVI Chemical International Congress of Chicago», organizado por la Chicago University (EUA).
  Asistencia a las conferencias y coloquios sobre fotoquímica que se realizaron durante una semana.
- 1993: Asistencia al seminario realizado en la Universidad Complutense de Madrid, titulado «Fotoquímica aplicada», de una duración de 3 días y con la asistencia de primeras autoridades en la materia.

Publicaciones:
- «La conductividad térmica en los tejidos sintéticos». Febrero de 1995. Publicado en la revista *Química textil*.
- Co-autor del libro titulado «Química aplicada». 1995, Editorial Lexus.

Participaciones en seminarios:
- Participación en calidad de ponente en el seminario «Medio Ambiente y Progreso», realizado en la Universidad Autónoma de Barcelona en abril de 1995.
- Actualmente preparo la participación como ponente en las «Conferencias sobre Ciencias» que se realizarán en enero de 1996 en la Universidad de Navarra.

Experiencia profesional:
- Desde 1991: Profesor ayudante en la Universidad Autónoma de Barcelona, impartiendo clases de fotoquímica y bioquímica de la licenciatura de Ciencias Químicas.

Idiomas:
- Dominio del inglés hablado y escrito.
- Nivel medio de francés.
- Nociones de alemán.

Informática:
Dominio del sistema operativo MS-DOS y del Windows, y programas de tratamientos de texto (WordPerfect, Wordstar...).
Habituado a trabajar con paquetes integrados que se utilizan en investigaciones de laboratorios.

6.6. Currículum vitae especial (II)

Otro tipo de currículum vitae considerado como específico es el de un candidato que desea integrarse en un proyecto de ayuda a países en vías de desarrollo, promocionado o financiado por una organización no gubernamental. También cabría el ejemplo del objetor de conciencia que solicita una plaza en una determinada organización o institución para realizar la prestación social sustitutoria.

Este tipo de demandas, además de estudios determinados y experiencia laboral, valoran si el interesado ha realizado anteriormente alguna labor humanitaria, de voluntariado, etc.

Asimismo, para determinadas tareas a realizar en el extranjero se solicitará el conocimiento de algún o algunos idiomas.

En resumen, para confeccionar un currículum de estas características se debe remarcar unos aspectos que en otro tipo de trabajo carecerían de interés. Por ejemplo, los viajes realizados, el hecho de estar vacunado de ciertas enfermedades, etc., aunque esta información no forme parte de una experiencia profesional anterior.

A continuación se muestra un currículum vitae de un médico que solicita una plaza demandada por una organización no gubernamental para trabajar en un hospital de un país africano.

CURRÍCULUM VITAE

Datos personales:
Nombre: José Fernández Pérez
Dirección: Major, 25 - 01001 Agramunt
Teléfono: (973) 21.21.21
Lugar y fecha de nacimiento: Lleida, 16 de agosto de 1960
Estado civil: Soltero

Estudios realizados:
– 1980-87: Estudios de Medicina en la Universidad de Zaragoza. Especialidad en Pediatría. Finalizados con la calificación de Sobresaliente.
– 1988: Aprobado el examen de Médico Interno Residente (MIR), con una calificación de 7,76.

Otros estudios:
– 1992: Asistencia al «Congreso sobre enfermedades infantiles», organizado por el Hospital General de Madrid.
– 1993: Asistencia al curso: «Enfermedades tropicales y su diagnóstico», organizado por la Facultad de Medicina de la Universidad de Madrid.

Experiencia profesional:
– 1988-90: Médico interno residente en el Hospital de Sant Pau de Barcelona. Realización de las prácticas correspondientes en el pabellón de Pediatría.

– Desde 1990: Médico pediatra en el Hospital de la Cruz Roja de Salamanca. Responsable del área de medicina preventiva.

Idiomas:
– Dominio del inglés. Obtención del título de profesor de academia de inglés en la Academia Oficial de Idiomas (1991).
– Conocimientos de francés. Superado el tercer nivel en la Academia Oficial de Idiomas (1993).

Otras informaciones:
– A lo largo de mis vacaciones, durante los últimos 10 años, he realizado viajes a ocho países africanos y tres suramericanos. He permanecido durante varios períodos de tiempo viviendo en comunidades indígenas de distintas tribus africanas.
– Poseo carné de conducir C1.
– Durante la prestación social sustitutoria, estuve trabajando en una asociación de médicos con actividades en países necesitados, realizando trabajos de logística y coordinando algunas campañas de envío de alimentos.
– Soy miembro colaborador de su entidad desde hace 2 años.

6.7. Currículum vitae de una persona con larga experiencia profesional

Como colofón a esta serie de ejemplos de currículums, en este apartado mostraremos el currículum vitae de una persona con una larga trayectoria profesional.

Este tipo de currículums se suele escribir para atender a demandas que solicitan personal de cierta edad y con amplia experiencia en puestos de responsabilidad de empresas.

Estas empresas, independientemente del nivel de formación, precisan de una persona con amplia experiencia profesional. Por esta razón, en el currículum se debe hacer especial hincapié en las experiencias y responsabilidades adquiridas a lo largo de la carrera, así como el tipo de empresas y situaciones en que se haya operado.

En definitiva, estos currículums se diferenciarán de los anteriores en que la parte de trayectoria profesional adquiere una extraordinaria importancia, en detrimento de otros aspectos.

A continuación se presenta un currículum vitae de una persona que responde a la demanda de una empresa para cubrir una plaza de director general.

CURRÍCULUM VITAE

Datos personales:
Nombre: Justa Rupérez Martín
Dirección: Plaza Mayor 25, 2.º 1.ª - 20000 Ciudad Real
Teléfono: (926) 11.11.11
Lugar y fecha de nacimiento: Málaga, 19 de enero de 1952
Estado civil: Casada y con tres hijos

Estudios realizados:
– 1966-1971: Estudios de Peritaje Industrial en la Escuela Industrial de Málaga. Titulación obtenida con la calificación de Notable.
– 1971-76: Ingeniería técnica industrial en la Universidad de Madrid. Título conseguido con la calificación de 6,8.
– Asistencia a diversos seminarios sobre contabilidad analítica, control presupuestario y administración de personal en la Escuela de Estudios Empresariales y Administrativos (EEEA).

– Diplomada en Dirección de Operaciones por la Alta Escuela de Administración de Empresas (AEAE) de Madrid (1982).

Idiomas:
– Inglés fluido a nivel de conversación y lectura.
– Nociones de alemán.

Experiencia profesional:
– 1970-1976: Industrial del Automóvil S.A. Empresa de fabricación de recambios automovilísticos ubicada en Mollet del Vallés (Barcelona). Categoría: Delineante de 2.ª
– 1976-78: En la misma empresa, paso a la categoría de Deli-

neante Jefe, siendo responsable de la sección de delineación con una plantilla de tres trabajadores.

– 1978-1986: Electrotel S.A. Filial española de una multinacional de la electrónica, con facturación de alrededor de 1.000 millones anuales. Puesto de Directora de Fábrica, dependiendo directamente de la central del *holding* en Copenhague, con una plantilla de 120 empleados bajo mi responsabilidad, desempeñando las funciones de control y planificación de producción, así como temas de personal, propuestas de nuevas inversiones y, en definitiva, todas las tareas propias de responsable de fábrica. Durante distintos períodos de tiempo estuve realizando cursos de formación en la capital danesa.

– Desde 1986: Gerente de Informisa S.A. Empresa de fabricación de material informático, ubicada en Ciudad Real. Empresa líder del sector en España, con una facturación el último ejercicio económico de 10.000 millones y una plantilla de 230 personas. Desempeño las funciones propias del puesto. Desde mi presencia en la empresa la facturación ha aumentado en un 150 %, doblando los beneficios.

Otras informaciones:
Me interesa el puesto que ofrecen ustedes porque para mí supone la entrada en un sector que considero muy interesante, y por su ubicación geográfica.

7

Ejemplos de cómo no se debe redactar un currículum vitae

En este capítulo se ofrecen ejemplos de currículum vitae cuya redacción y contenido destacan por ser deficientes o demasiado extensos.

Los currículums que se exponen a continuación están inspirados en recopilaciones de casos reales. Evidentemente se han omitido las identidades. Se han incluido para ayudar al lector a evitar algunos errores que se cometen en ocasiones en el momento de redactar un currículum vitae.

7.1. Ejemplo 1

El currículum que se ofrece a continuación está mal estructurado y no concreta algunos aspectos básicos, como por ejemplo los años durante los que se han realizado los estudios, las tareas que se llevó a cabo en los anteriores puestos de trabajo, etc.

CURRÍCULUM VITAE

Datos personales:
Nombre y apellidos: Juan Jiménez García
Dirección: Calle Mayor, 123, 3.º - Palau de Plegamans
Teléfono: 235.00.00
Fecha de nacimiento: 18.12.68
Estado civil: Soltero

Formación:
– Licenciado en Farmacia.
– Diploma de Gestión de Hospitales.
– Curso de Gestión Empresarial para Directivos.
– Seminario de Contabilidad.
– Inglés hablado y escrito.
– Curso de ofimática.

Experiencia profesional:
– Actualmente: *Product manager* de una empresa de productos de farmacia.
– Hasta 1991: Visitador médico en una empresa del sector de productos farmacéuticos.
– Hasta 1986: Dependiente en una farmacia.

Otros:
– Carné de conducir.
– Libre del servicio militar.
– Aficiones: Deportes, lectura y música.
– Remuneración orientativa: 4.500.000.

7.2. Ejemplo 2

Este currículum se presenta para poner de manifiesto lo difícil de su lectura y análisis.

CURRÍCULUM VITAE

Mi nombre es Augusto Pérez Castillo y me dirijo a ustedes para ofrecerme para ocupar un puesto de trabajo en su empresa. A continuación les redacto mi currículum vitae, que espero que sea de su agrado:

Nací en Santander el año 1957 y vivo en esta ciudad desde entonces. Empecé mis estudios de bachiller en el Colegio Mayor Villa de Santander el año 1969 para, posteriormente, entrar en la Universidad, matriculándome en 1975 en la Facultad de Ciencias de la Comunicación, aprobando con excelentes notas y obteniendo el título de licenciado en 1980, con una media del expediente académico de 8,6. Posteriormente, realicé el servicio militar en Zaragoza. Al término de esta actividad pasé a formar parte de la plantilla de Radio X, realizando trabajos de locutor publicitario durante los primeros meses para, posteriormente, pasar a ser locutor de un programa matinal.

A partir de 1992, pasé a trabajar en la televisión local TVST, como jefe de programación, desempeñando tareas, además, de dirección y administración. Durante mi gestión en esta cadena, el índice de audiencia ha aumentado en un 50 % y el horario de emisión ha pasado de 5 horas diarias a 8.

Actualmente, estoy realizando un master en dirección de medios de comunicación y estudio inglés.

Evidentemente, se podrían presentar y exponer infinitos modelos de currículum vitae, redactados de forma poco o nada adecuada para presentarse a una selección de personal. El objetivo de este libro no es exponer currículums mal redactados sino ofrecer una guía para elaborarlos de forma adecuada y con mayores posibilidades de éxito.

Otros títulos publicados

de la misma serie:

Cómo hacer presentaciones eficaces, 136 págs., Manchester Open Learn.

Cómo realizar entrevistas con éxito, 126 págs., Glynis Breakwell

Cómo potenciar su imagen, 146 págs., David Robinson

Cómo medir la satisfacción del cliente, 220 págs., Bob Hayes

El Arte de vender con Excelencia, 146 págs., Larry McCloskey

Comunicar bien para Dirigir mejor, F. Borrell, 200 págs.

Cómo Trabajar en Equipo, F. Borrell, 196 págs.

Cómo crear empresas rentables, M. Cañadas, 196 págs.

también de interés:

Organice su tiempo, 130 págs., Sally Garratt

Organícese, 160 págs., Mike Pedler

Organización Atenta, 180 págs., Joan Elías

Frases y anécdotas del mundo empresarial, 140 págs., Oriol Amat

Defienda sus ideas, 120 págs., Pierre Lebel

Aprender a Enseñar, 142 págs., Oriol Amat

El Plan de Marketing Estratégico, 130 págs., R. Del Olmo y otros

ABC de las Relaciones Públicas, 240 págs., Sam Black

El Libro de ORO de las Relaciones Públicas, 260 págs., José D. Barquero

Marketing Ferial, 140 págs., Fernando Le Monnier

Costes de calidad y de no calidad, 134 págs., Oriol Amat

-------------- **Solicite nuestro Catálogo de publicaciones** --------------